L

MW01094152

DE PIERRE

Nicolas Gerrier

hachette
FRANÇAIS LANGUE ÉTRANGÈRE

www.hachettefle.fr

Dans la même collection LFF + CD audio

FICTION

▶ **Niveau A1**

Double je (Guérin)
Le Blog de Maïa (Coutelle)
Le Coffret mystérieux (C. et A. Ventura)
Le Match de Thomas (Boyer)
Rémi et Juliette (Lamarche)
Rémi et le mystère de St-Péray (Coutelle)
La Nuit blanche de Zoé (Vardi)
Si c'était vrai (Bataille)
Enquête capitale (Decourtis)
La dernière nuit au phare (Paoli)
Mystère sur le Vieux-Port (Paoli)

▶ **Niveau A2**

Le Sortilège de Merlin (Gerrier)
La Chasse au trésor (Gerrier)
La Ville souterraine (Gerrier)
Julie est amoureuse (Guilloux)
Nico et le village maudit (Guilloux)
La Disparition (Gutleben)
Peur sur la ville (Roy)
Thomas et la Main jaune (Vattier)
La Cité perdue (Lamarche)
Le Prisonnier du temps (Roy)
Le Trésor de la Marie-Galante (Leballeur)

▶ **Niveau B1**

Attention aux pickpockets ! (Lamarche)

Les Danseurs de sable (Massardier)
Maxime et le Canard (Dannais)

CLASSIQUE

▶ **Niveau A2**

Les Contes (Perrault)
Les Misérables – Fantine, tome 1 (Hugo)
Les Misérables – Cosette, tome 2 (Hugo)
Le Tour du monde en 80 jours (Verne)
Les Trois Mousquetaires, tome 1 (Dumas)
Les Trois Mousquetaires, tome 2 (Dumas)

▶ **Niveau B1**

20 000 lieues sous les mers (Verne)
Cinq contes (Maupassant)
Cyrano de Bergerac (Rostand)
Germinal (Zola)
Sans famille (Malot)
Le Barbier de Séville (Molière)
Le Comte de Monte-Cristo, t. 1 (Dumas)
Le Comte de Monte-Cristo, t. 2 (Dumas)
Le Médecin malgré lui (Molière)
Les Aventures d'Arsène Lupin (Leblanc)
Les Misérables – Gavroche, t. 3 (Hugo)

▶ **Niveau B2**

La Tête d'un homme (Simenon)
Maigret tend un piège (Simenon)

Édition : Christine Delomeau

Couverture : Anne-Danielle Naname

Conception de la maquette intérieure : Isabelle Abiven

Mise en pages : Anne-Danielle Naname, Nada Avril

Illustrations : Sébastien Azzi

Enregistrements : Quali'sons/Fabien Briche

Crédits photographiques : Shutterstock.com : p. 60 hg : Marco Osseno - hd : maggee - bg : JU 1978 - bd : J.-P. Chrétien - p. 61 hg : Monkey Business Images - hd : Wavebreakmedia - b : CREATISTA.

ISBN : 978-2-01-401610-9
© Hachette Livre 2016, 58, rue Jean Bleuzen. CS 70007. 92170 Vanves

Tous les droits de traduction, de reproduction et d'adaptation réservés pour tout pays. La loi du 11 mars 1957 n'autorisant, aux termes des alinéas 2 et 3 de l'article 41, d'une part, que « les copies ou reproductions strictement réservées à l'usage privé du copiste et non destinées à une utilisation collective » et, d'autre part, que « les analyses et les courtes citations » dans un but d'exemple et d'illustration, « toute représentation ou reproduction intégrale ou partielle, faite sans le consentement de l'auteur ou de ses ayants droit ou ayants cause, est illicite » (Alinéa 1 de l'article 40). Cette représentation ou reproduction, par quelque procédé que ce soit, sans autorisation de l'éditeur ou du Centre français de l'exploitation du droit de copie (20, rue des Grands-Augustins, 75006 Paris), constituerait donc une contrefaçon sanctionnée par les articles 425 et suivants du Code pénal.

Achevé d'imprimer en Espagne par Cayfosa Impresia Ibérica
Dépôt légal : juin 2018 - Collection n° 47 - Édition N° 02 - 21/7466/6

SOMMAIRE

Un long voyage

– On arrive quand ?

Ma sœur, Margaux, huit ans, pose la question pour la dixième fois.

Nous sommes partis de la maison vers 6 heures du matin, il est 2 heures de l'après-midi. On est donc enfermés dans la voiture depuis huit heures. Et, dans une voiture, pendant huit heures, il n'y a rien à faire. Alors, je regarde mes messages sur Facebook, j'écoute de la musique et des vidéos. Tout ça sur mon téléphone.

Ma mère propose des jeux pour nous occuper. Je les trouvais super quand j'étais petit. Mais aujourd'hui, à quinze ans, je n'ai plus envie de compter le nombre de voitures de couleur rouge, ou de trouver des noms d'animaux commençant par chaque lettre de l'alphabet. Margaux adore.

Je préfère m'isoler, les écouteurs de mon téléphone dans les oreilles, la capuche de mon pull sur la tête.

Mon père essaye de temps en temps de nous passionner avec le paysage :

– Blé ou maïs dans le champ ? Comment appelle-t-on les habitants de la Bourgogne ? Quelle est la spécialité de Dijon ?

Aucun intérêt.

– Il n'y a pas que ton téléphone dans la vie, me dit-il. Oublie-le et tu auras de meilleures notes en classe.

C'est sa phrase préférée en ce moment. Ma mère, comme à son habitude, lui répond :

– Cela ne sert à rien de dire ça.

Hugo (c'est moi) et les études : voilà le sujet numéro un de mes parents. Vous allez comprendre pourquoi : je viens de terminer ma troisième et je ne passe pas en seconde. Comme je redoublais déjà, le directeur de l'école ne veut plus me voir. Adieu, renvoyé !

La suite ? Je n'en sais rien. L'école m'ennuie et les profs me stressent. « Tu peux y arriver si tu travailles », m'a-t-on dit pendant des années. J'ai essayé. Mais rien ne m'intéresse. Mes notes sont vraiment mauvaises depuis deux ans et, maintenant, on me répète tout le temps que je suis nul.

Je commence vraiment à le croire.

Vivement mes dix-huit ans. Ce jour-là, je dirai « Au revoir tout le monde » et je partirai à l'aventure avec Moki (c'est mon chien, un bouvier bernois). Le seul problème : je ne sais pas vraiment où.

Je vous résume la situation : entre mes parents et moi, en ce moment, c'est chaud[1] !

– J'sais pas quoi faire, se plaint Margaux. Hugo veut pas jouer avec moi. J'veux faire pipi.

– Encore ! dit mon père. On vient de s'arrêter.

– Ça fait une heure au moins, chéri, répond maman.

On s'arrête sur une aire de l'autoroute trois kilomètres plus loin.

– Tout le monde dehors, faut se dégourdir les jambes, dit mon père.

Je fais celui qui n'entend pas. Moki veut jouer et a faim, comme toujours. Pas le choix, je sors aussi.

Quand ma mère et Margaux reviennent des toilettes, elles font de la gymnastique devant la

---

1. C'est chaud : la situation est difficile, tendue.

voiture : elles lancent les bras vers le ciel, puis se baissent et essayent de toucher le sol avec leurs doigts. Elles sautent ensuite sur un pied, puis sur l'autre. Mon père les imite. Moki tourne autour d'eux. Je sens que tout le monde nous regarde. J'ai honte de ma famille. Je préfère remonter en voiture.

– On arrive dans cinq heures, annonce mon père en remettant le moteur en marche.

Pour tout vous expliquer : on habite Brest, en Bretagne, tout à l'ouest de la France. En ce moment, on roule vers Saint-Arbois, dans le Jura, dans l'est de la France. Neuf cent cinquante kilomètres de traversée gauche-droite !

On va passer dix jours à Saint-Arbois : dix jours de vacances d'été perdus.

La raison : papa doit vendre La Grange, la maison de son père. Mon grand-père, donc. Fernand Gaillard (c'était son nom) est mort il y a trois mois. Je n'ai pas l'air très triste ? Je ne le suis pas. Je n'ai vu mon grand-père qu'une fois dans ma vie et c'était justement il y a trois mois, le jour de son enterrement. Je ne l'ai pas vraiment vu en plus, il était déjà dans la boîte[2].

Jamais vu, jamais joué avec lui, jamais embrassé. Pourquoi ? Mon père est né à Saint-Arbois. C'est beau si on aime la nature, les lacs, les forêts et la

---

2. La boîte : le cercueil (le coffre qui contient le corps d'un mort).

solitude. Dans la famille Gaillard, les hommes sont tailleurs de pierre de père en fils depuis toujours. Sauf que mon père, lui, la nature, les pierres, la vie réglée d'avance, il n'aime pas. Alors, à dix-huit ans, il est parti à Paris pour devenir chanteur. Mon grand-père était furieux. Il a juré de ne plus jamais parler à son fils. Et comme les Gaillard sont têtus de père en fils, il a tenu parole.

La carrière[3] de mon père n'a pas duré longtemps. Il a enregistré deux chansons dans une maison de disques (pas de musique en ligne ni de CD à l'époque, que des disques vinyles, des assiettes en plastique noir). Succès très très très limité. Il a abandonné et s'est engagé dans l'armée. Pourquoi n'a-t-il pas repris contact avec mon grand-père depuis ? Je vous l'ai dit, les Gaillard sont têtus.

– Encore quelques kilomètres et nous y sommes, dit mon père. Margaux, regarde bien devant toi pour ne pas avoir mal au cœur. Hugo, tu veux bien arrêter avec ton portable ?

Il est 21 heures. Je vois un panneau « Saint-Arbois 20 km ». La route devient plus étroite et les virages sont plus nombreux. Ma sœur fait exprès de me tomber dessus.

– Hé, reste de ton côté !

– Hugo, sois gentil avec ta sœur, dit maman.

---

3. La carrière : la profession, le travail.

– Et si elle me dégueulerait dessus ?

– On dit vomit ou crache, mais pas dégueuler, intervient mon père sèchement. Au pire, « Si elle me dégueulait dessus », pour respecter la grammaire. Je comprends les commentaires de ta prof de français.

– Oui, bon, on est tous fatigués, le coupe maman. Ce n'est pas le moment de parler de ça.

Les derniers kilomètres se passent dans un silence complet. Quand mon père gare la voiture devant l'hôtel « Les trois lacs », il est neuf heures et demie. Il déclare :

– Je suis crevé. On ira à La Grange demain matin.

Ils feront ce qu'ils veulent demain. Moi, visiter la maison d'un mort, non merci. Je resterai à l'hôtel.

Chapitre 2

LOU

La mauvaise nouvelle du matin : il est 8 heures et je suis déjà debout.

La bonne nouvelle : le petit-déjeuner est trop bon !

Il y a des croissants, de la brioche, un gâteau au chocolat et un aux pommes, des petits pains ronds aux noix et aux raisins, du jus d'orange frais, différentes céréales et de la salade de fruits frais. Tout ça à volonté. Je vous conseille cet hôtel ! Il y a aussi du jambon, du fromage et des œufs au plat, mais manger salé le matin : non merci !

Nous partons à 8 h 30 vers la maison de mon grand-père. J'ai essayé de dire non, mais mon père s'est fâché très fort. La Grange est située à environ 3 kilomètres du centre du village. Il faut prendre une route pentue qui traverse une forêt en zigzags. Le ciel est bleu et le soleil commence déjà à chauffer. Il va faire une belle journée d'été.

– C'est magnifique, répète maman trois fois. C'est dommage.

– Quoi ? demande mon père.

– De vendre la maison. Tu es né ici quand même.

Mon père soupire, mais ne répond pas. Il a déjà trouvé des acheteurs et veut tout régler en dix jours.

Un dernier virage et la route débouche sur une immense clairière. Mon père emprunte un petit chemin et arrête la voiture cent mètres plus loin. Nous sommes arrivés.

Moki saute de la voiture et s'agite comme un fou.

– On rentre quand à l'hôtel ?

– Tu ne vas pas commencer Hugo, répond sèchement mon père. Pas question de passer tes journées enfermé dans la chambre d'hôtel. Essaye un peu de t'intéresser. Va te promener avec ton chien, regarde l'atelier[4] de ton grand-père…

– Ah, parce que toi, l'atelier t'intéresse ? Je croyais que tu voulais le vendre.

Le visage de mon père s'assombrit. Je préfère disparaître dans la maison avant l'orage.

La maison est grande. Mes grands-parents n'étaient pas les rois de la décoration : les meubles, les fauteuils, les rideaux sont tous très vieux.

Au rez-de-chaussée, il y a un salon, une cuisine, une salle à manger, un bureau et une salle de bains. Au premier étage, un long couloir mène à quatre

---

4. L'atelier : la pièce où il travaillait.

chambres et à une deuxième salle de bains. Un escalier monte vers le deuxième étage, où il y a encore trois pièces. Pourquoi on ne dort pas là ?

– Pourquoi on ne dort pas dans la maison ?

Ma mère lit-elle dans mes pensées ? Mon père fait celui qui n'entend pas. Elle continue :

– On va devoir trier la vaisselle, les vêtements, les livres... Hugo, tu nous aideras ?

– Moi, j'aide, répond Margaux à ma place.

Nous continuons la visite par l'atelier.

– On ne s'occupe de rien, dit mon père. J'ai contacté un tailleur de pierre. Il va tout prendre.

L'atelier se compose de trois pièces. La première est très grande et très claire. La lumière y entre par une grande fenêtre qui couvre presque tout un mur. Il y a partout des tables avec des outils. Des blocs de pierre brute[5] sont posés ici et là. Deux bustes[6] et une grande sculpture attirent mon attention.

– C'est grand-père qui les a faits ?

– J'imagine, répond mon père.

Je suis impressionné. Ils sont beaux. L'art, ce n'est pas trop mon truc. Mais je me crois dans un musée.

---

5. Brute : non travaillée.
6. Bustes : sculpture de la partie supérieure du corps (de la taille à la tête).

Personne ne travaille dans cet atelier depuis la mort de mon grand-père. J'ai l'impression étrange que ses outils l'attendent. Mon père et ma mère restent silencieux. Cet endroit ne les laisse pas indifférents non plus. Seule Margaux touche à tout et pose des questions. Mais personne ne lui répond. Alors, elle boude.

La deuxième pièce servait de bureau à mon grand-père. Elle est petite. Un bureau, deux chaises, un ordinateur, une étagère, deux placards, une petite fenêtre. Et un fouillis[7] de dossiers, stylos, crayons, plans.

---

7. Un fouillis : un ensemble de choses mal rangées.

De nombreuses photos sont accrochées aux murs. Mon père s'arrête longtemps devant l'une d'elles. On y voit un homme d'une trentaine d'années avec un jeune garçon qui tient un marteau dans les mains.

– C'est qui ?

– Ton grand-père et moi.

Les yeux de mon père brillent. Il est très ému.

– C'est lui aussi, là, devant l'église. Et devant cette cheminée. Et là, devant la statue. Et sur le chantier de cette vieille maison. C'est loin tout ça, dit-il.

Tout à coup, j'aperçois le visage d'une fille à travers la fenêtre. Elle me fait un signe. Je me souviens, elle était à l'enterrement de mon grand-père, mais je ne lui avais pas parlé.

Je sors. Moki a déjà fait connaissance avec elle et se laisse caresser.

– Bonjour. Tu es Hugo, c'est ça ?

– Oui. Comment tu le sais ?

– Ton grand-père m'a beaucoup parlé de toi.

Que pouvait-il bien savoir de moi ?

– Et toi, tu t'appelles comment ?

– Lou.

J'adore ce prénom. Mes parents et Margaux nous rejoignent. Lou explique que ses parents ont une ferme à deux kilomètres d'ici, sur la route de Poligny. Nous avons le même âge.

– Tu es la fille de François Villemard ? demande papa.

– Oui. Vous le connaissez ?

Papa se lance dans quelques souvenirs. Il sourit. Il a l'air heureux.

– Si tu veux aller faire un tour de vélo avec Lou, propose maman.

– Vous n'avez pas besoin de moi pour ranger ?

– Aujourd'hui, non, répond mon père. Ça te changera les idées.

Je vois le coup d'œil qu'ils se jettent. Je ne peux pas refuser. Je n'ai pas envie non plus.

– Il y a des vélos dans le garage de Fernand, dit Lou.

Lou connaît bien la maison. Nous choisissons deux vélos et partons sur la route en direction de chez elle. Moki nous suit. Lou parle tout en pédalant.

– C'est triste la mort de ton grand-père. La vente de sa maison aussi.

Elle sait tout ! Je ne sais pas quoi répondre. Mais les filles aiment bien les garçons sensibles, alors je me force un peu :

– Très triste, dis-je sans grande imagination. Tu vas où au lycée ?

– Je suis au lycée agricole, à Lons-le-Saunier. Je suis pensionnaire.

– Ah bon ? Tu veux devenir agriculteur ou teuse ? C'est comme ça qu'on dit pour une fille ? Tu dois être la seule fille, non ?

Silence de Lou. Ai-je dit quelque chose de stupide ? Je lui avoue ne pas vraiment connaître cette filière[8].

– Premièrement, on dit agricultrice. Deuxièmement, il n'y a pas que la filière bac général dans la vie d'un lycéen. Troisièmement, je vais passer un bac STAV : sciences et technologie de l'agronomie et du vivant. Mais tu as raison, peut-être qu'un jour je serai agricultrice. Mon rêve serait même de transformer la ferme de mes parents pour l'adapter à l'agriculture de demain.

Lou sait ce qu'elle veut. Elle m'impressionne. Je m'excuse encore une fois.

– Et toi ? me demande-t-elle.

---

8. Cette filière : ces études.

– Je me suis fait virer du collège.

Je prends une voix la plus grave possible. Les mauvais garçons plaisent aux filles.

– C'est nul ça. Tu vas faire quoi ?

– Je ne sais pas. Déjà les vacances, ensuite, je verrai.

– J'espère que tu trouveras, c'est horrible de ne pas savoir ce qu'on veut. Bon allez, on fait la course. Le premier arrivé en haut.

Je pédale du plus fort que je peux. Mais la route monte et je suis vite essoufflé. Lou arrive la première et m'attend avec un grand sourire. Elle a les cheveux bruns et les yeux gris. Ils vont bien avec son sourire.

Je sais ce que vous pensez : non, je ne suis pas amoureux de Lou ! Mais, oui, je suis sous le charme. Je n'ai pas le droit ?

– Je dois passer chez une copine pour préparer une banderole[9] pour après-demain. Tu veux venir ?

– Il y a une fête au village ?

– Tu n'es pas au courant du grand rassemblement ?

– Non, qu'est-ce qui se passe ?

– Je n'y crois pas ! Suis-moi, je t'expliquerai là-bas.

---

9. Une banderole : une bande de tissu avec des inscriptions.

Chapitre 3

LA PIERRE

– Hugo ? Hugo ! Tu veux une autre tartine ?

– Hein, quoi ?

– Tu veux une autre tartine ?

– Non merci. On va quand à la maison de grand-père ?

Mes parents s'étonnent de mon empressement. Vous avez deviné, bien sûr. Je veux revoir Lou. Nous avons rendez-vous devant La Grange à 9 heures. Hier, chez son amie, nous avons fabriqué une banderole avec un vieux drap. Dessus, on a écrit avec de la peinture rouge : GARDEZ VOS POUBELLES !

La raison : il y a demain un rassemblement dans le village à l'endroit de la construction prochaine d'une déchetterie[10] industrielle.

– J'en ai entendu parler, répond mon père. C'est une raison de plus de vendre la maison.

– Au contraire, il faut se battre pour la région. Avec leurs déchets, ils vont polluer tous les sols. Ce sont des…

---

10. Une déchetterie : un endroit où on jette des déchets, des ordures.

– Oh, hé, doucement jeune homme, reste poli. Qui t'a mis tout ça dans la tête ?

Vous avez encore une fois deviné : Lou. Je trouve ses idées bonnes. J'étais déjà un peu écolo[11] avant de la rencontrer. Si ! Je vous jure.

J'essaye de convaincre mon père. Mais il ne veut rien savoir et finit la conversation par un « Occupe-toi des affaires de ton âge ». La phrase des adultes la plus nulle que je connaisse.

Je ne dis plus un mot jusqu'à notre arrivée à La Grange. Lou est déjà là.

– On dirait que quelqu'un t'attend, dit maman.

– On doit préparer encore des trucs pour demain, pour la manif[12].

– Fais attention à toi. Ça peut être dangereux ce genre de rassemblement.

– Ne t'en fais pas chérie, la rassure mon père. Ce ne sont que des gamins. Ce n'est pas une vraie manifestation.

Encore une phrase nulle…

– T'es amoureux ? me demande Margaux.

Quelle idiote !

Lou et moi partons à vélo. Moki reste allongé sur l'herbe. Nous roulons 4 kilomètres quand Lou s'arrête et pose son vélo dans l'herbe sur le bas-côté.

---

11. Écolo : écologiste (qui respecte la nature).
12. La manif : la manifestation (rassemblement de personnes).

– Voilà, c'est là qu'ils veulent mettre toutes leurs ordures !

– C'est magnifique ici ! Vous avez raison de vous battre. Et les tentes en haut de la prairie, c'est qui ?

– Oh, non, ils sont revenus ! Un groupe qui proteste contre la décharge aussi, mais ils ne sont pas d'ici et cherchent surtout à affronter les gendarmes. J'espère qu'ils resteront tranquilles demain.

Lou a l'air inquiète.

– Les habitants du village et le maire ne sont pas contre ce projet ?

– Pas tous malheureusement. Certains pensent qu'il va apporter de l'argent et des emplois très rapidement. Fernand, par contre, y était farouchement opposé.

– Tu l'aimais vraiment bien ?

– Tu peux le dire. Parfois, il me parlait comme à sa petite-fille. Vous lui avez manqué, ta sœur et toi.

Je lui raconte l'histoire des Gaillard. Elle la connaît, bien sûr.

– Fernand en souffrait. Mais il avait pardonné à ton père. Il me lisait toutes les lettres de ta mère.

– Quoi ? Elle lui écrivait ?

– Trois ou quatre fois par an. Elle racontait tout sur votre famille.

– C'est dingue ! Si mon père l'apprend…

– Il faut que tu trouves les lettres avant lui. Fernand les gardait dans un grand classeur dans son bureau. On continue notre tour ?

Quand je retourne à la maison, mon père est en grande discussion avec les acheteurs. Ma mère et Margaux trient des affaires dans la maison. J'ai le champ libre pour fouiller le bureau.

Le classeur n'est pas difficile à trouver. Les lettres vont de 2000 à 2015. Il faut que je les brûle dans la forêt.

Un vieux carnet sur le bureau attire mon regard. Je l'ouvre avec précaution. L'écriture est penchée, soignée, parfois au stylo à plume, parfois au crayon à papier. Il y a des détails de sculptures avec des flèches et des explications sur le travail de grand-père. Il y a aussi des remarques sur les difficultés, les pièges à éviter, et de nombreux conseils.

C'est une vraie mine d'or[13] pour qui veut devenir tailleur de pierre. À qui s'adresse-t-il ?

Le dernier paragraphe du carnet date du 4 avril, la veille de sa mort. Une photo d'un bloc de pierre est collée au-dessus. Je le cherche dans l'atelier et reste un long moment devant. La pierre est magnifique. Je ressens un courant chaud en moi. C'est comme si la pierre m'attendait. Non, je ne suis pas fou !

J'ai soudain envie de partager cette sensation. Je sors chercher mes parents. Mon père est en train de faire un signe aux deux acheteurs qui repartent en voiture. Maman sort de la maison et lui demande comment cela s'est passé.

– Très bien. Dans deux jours, on signe la vente.

Je les entraîne dans l'atelier et pointe du doigt les pierres les unes après les autres :

---

13. C'est une mine d'or : il contient beaucoup d'informations utiles.

– Elle est magnifique. Celle-ci aussi, et celle-là et…

Je parcours l'atelier, euphorique[14]. Margaux me suit et m'imite.

– On pourrait garder toutes ces pierres, leur dis-je.

– Ridicule, répond mon père.

– Au moins quelques sculptures.

– On n'a pas la place. Francis Berton va tout acheter. Il est tailleur de pierre à cinq kilomètres d'ici.

Je sens la colère m'envahir. Je prends un marteau et tape sur une pierre. Des éclats volent. Je tape de plus en plus fort. Je deviens comme fou et tape sur d'autres pierres. Margaux crie et mon père tente de se saisir du marteau.

– Arrête !

– De toute façon tu veux tout jeter, qu'est-ce que ça peut te faire ?

Mon père me retient les bras et arrache le marteau. Je me débats avant de me laisser tomber au sol.

– On va rentrer à l'hôtel, dit mon père. Ça suffit pour aujourd'hui.

Je reste dans ma chambre jusqu'au dîner. Maman annonce au dessert :

---

14. Euphorique : très heureux.

– Ton père et moi avons réfléchi. C'est une excellente idée de garder une des sculptures de ton grand-père. On la choisira ensemble ?

Mon père ne dit rien, il a vraiment envie d'en finir avec cette partie de sa vie. L'idée doit venir de maman.

– Et moi je garde ça, dit Margaux en sortant de sa poche de tout petits morceaux de pierre ramassés dans l'atelier.

Sa remarque nous arrache un fou rire.

Après le dîner, mes parents vont faire un tour dans le village avec Margaux. Je retourne dans ma chambre. J'allume la télé et regarde une série. Plus tard, ma mère rentre avec Margaux. Je dois éteindre, ma sœur est trop jeune pour voir des zombies[15].

Quand Margaux s'est endormie, je sors sans bruit de la chambre. Il me faut une grosse demi-heure pour atteindre la maison de mon grand-père à pied. J'allume toutes les lumières de l'atelier.

Je sors le carnet de mon grand-père de mon sac à dos. Puis, je me mets au travail.

Le projet de mon grand-père pour ce bloc de pierre est décrit dans les quatre dernières pages de son carnet. C'est le morceau d'une cheminée. Il a fait la liste des tâches à réaliser, décrit les outils à utiliser et écrit des conseils pour travailler.

---

15. Zombies : morts vivants.

J'attrape un petit marteau et une pointe. Je tape doucement. C'est amusant à faire. Je m'applique et avance lentement. J'ai peur de casser la pierre. Elle est solide et résiste à mes coups. Je vérifie souvent dans le cahier ce que je dois faire. Petit à petit, mes gestes deviennent plus précis. J'aime voir la pierre se transformer.

Quand je m'arrête, il est 2 heures du matin. Je n'ai pas vu le temps passer. J'ai juste fait un tout petit bout du travail, mais je suis fier de moi.

– Ça te plaît, grand-père ?

Il ne peut pas m'entendre, bien sûr. Mais j'ai envie de lui demander conseil. Pour la première fois, il me manque.

Je referme le carnet et comprends : il a écrit tout ça pour moi.

Je suis fatigué. Je sors de l'atelier. Papa a caché la clé de la porte de la cuisine derrière le volet d'une fenêtre. Je pénètre dans la maison. Je sors une couverture d'un carton et m'allonge sur un lit. Je me sens bien.

Chapitre 4

LE RASSEMBLEMENT

– Hugo ! Hugo !

La voix de mon père me réveille. Je sursaute.

– Tu nous as fait peur. Qu'est-ce que tu fais ici ? Retourne à l'hôtel prendre ton petit-déjeuner, ta mère t'y attend. Prends un vélo, je ne peux pas t'accompagner. Je suis avec Francis Berton dans l'atelier.

– Il est quelle heure ?

– Huit heures trente. File !

Avant de partir, je passe par l'atelier. Francis Berton est devant ma pierre :

– Qui a touché à ce bloc ?

– Personne, répond mon père.

– Étrange. Je suis passé ici la semaine dernière, le bloc était entier. C'est une partie difficile à réaliser. Je jurerais que votre père l'a faite. Il laissait une empreinte particulière, un peu comme sa signature. C'était quelqu'un, le Fernand. Un artiste !

Mon père sourit.

– C'est moi, dis-je. J'ai taillé la pierre cette nuit.

Les deux hommes se retournent et Francis
Berton éclate de rire, puis dit :

– Ce n'est pas beau de s'approprier[16]
le travail d'un autre.

– J'ai simplement suivi les conseils
du carnet de mon grand-père.

– Ah, son carnet ! dit Berton, Fernand
en était fier. Il y passait un temps fou. Tu as
le virus de la pierre alors toi aussi, mon garçon ?

– Je… non pas vraiment… c'est la première fois.

Francis Berton est impressionné.

– Tu es doué. Tu veux faire quoi plus tard ?

– Je ne sais pas.

– Il va déjà essayer d'avoir son bac, intervient
mon père. Ce n'est pas gagné.

Je déteste mon père ! Je sors de l'atelier et
referme la porte avec violence. Je monte sur un
vélo et descends à toute vitesse la route vers
l'hôtel. Je vais trop vite et risque deux fois de
tomber. Avoir un accident m'est égal.

Je retrouve Lou au rassemblement vers midi.

– C'est un beau succès[17] regarde le monde ! Il
y a au moins cent personnes, la moitié du village !

Notre banderole est accrochée aux branches
de deux arbres de chaque côté de la route. Des

---

16. S'approprier le travail : se dire l'auteur du travail.
17. Un succès : une réussite.

GARDEZ VOS POUBELLES !

tables sont installées à l'entrée de la grande prairie. Elles sont couvertes de produits locaux : fromages, miel, légumes, artisanat[18] … L'ambiance est bonne. Je me crois un jour de fête.

Une grosse surprise m'attend quelques mètres plus loin : mes parents discutent avec ceux de Lou. Margaux tient Moki en laisse.

– Qu'est-ce que vous faites là ?

– On vient participer, répond ma mère.

Leur présence me fait plaisir, mais je ne le montre pas trop. Mon père me dit à l'oreille :

– Je suis désolé pour ce matin. Je n'aurais pas dû parler comme ça de ton bac. Excuse-moi.

Je ne sais pas quoi répondre et lui fais simplement un petit sourire. Les parents de Lou s'occupent du stand[19] le plus important du rassemblement. Des panneaux présentent le projet de création d'une

---

18. Artisanat : des objets faits à la main.
19. Un stand : un emplacement réservé pour présenter quelque chose.

ferme écologique, à l'emplacement prévu pour la déchetterie. Lou nous l'explique en long et en large :

– La ferme occupera plus de cinquante hectares. On produira des légumes, des fruits et des céréales. On cultivera des fleurs aussi. Les vaches, cochons, poules et chevaux seront en liberté. On utilisera des produits naturels pour cultiver la terre et soigner les animaux. Au moins quarante personnes du village y travailleront. L'énergie nécessaire proviendra du vent et du soleil. On respectera la nature et les animaux. C'est un grand projet. « 100 % bon pour l'environnement, 100 % bon pour Saint-Arbois ».

Lou est enthousiaste. Elle a participé à la fabrication des panneaux et les connait par cœur. Elle se voit déjà travailler dans cette ferme après ses études. Ma mère trouve cela génial et signe une pétition en faveur du projet. Elle donne aussi un billet de cinquante euros à l'association « Une ferme bio à Saint-Arbois ». Le projet a une nouvelle amie !

Moki aboie et tire sur sa laisse en réaction aux cris et aux sifflets qui gagnent soudain la foule. Margaux n'a pas la force de le retenir alors je reprends la laisse. Les huées[20] saluent l'arrivée de quatre voitures noires et d'un car de la gendarmerie qui s'arrêtent à une vingtaine de mètres des premières tables. Huit hommes, dont la moitié en costumes sombres, et dix gendarmes sortent des véhicules.

20. Les huées : les cris pour montrer un désaccord.

– Au centre, c'est Éric, le maire du village, me précise Lou.

– Il y a aussi les futurs acheteurs de La Grange, dis-je.

– Quoi ! Mais ils veulent acheter tout le village.

L'avancée du groupe est bloquée par la foule :

– Gardez vos poubelles chez vous.

– Dehors les pollueurs !

Le maire essaye de calmer les esprits :

– Mes amis. Je connais vos préoccupations. Je vous demande de nous laisser passer. Le Centre d'enfouissement[21] et de valorisation des déchets…

– Appelle ça une grosse poubelle, intervient un jeune homme.

– … est une chance pour Saint-Arbois. Nous allons créer des emplois et…

– Avec notre ferme bio aussi, l'apostrophe François Villemard, le père de Lou. Elle sauvegarde l'environnement et l'avenir de nos enfants. Vous allez tuer notre village avec vos poubelles. Tu dois renoncer à ce projet !

– Il n'en est pas question. Votre ferme est un beau projet, mais vous n'avez pas l'argent nécessaire. Nous en avons déjà suffisamment

---

21. Un centre d'enfouissement des déchets : endroit où on met les ordures (déchets) sous la terre.

parlé. Ces terrains appartiennent à la commune et mon rôle est de…

Des injures l'empêchent de continuer, et ce que Lou redoutait arrive : un groupe de personnes casquées, foulards sur le visage et avec des barres de fer et de bois dans les mains dévale la prairie.

François Villemard se place à l'entrée de la prairie et fait de grands gestes pour les arrêter. Quand ils arrivent à sa hauteur, il leur commande de s'en aller.

– Nous sommes avec vous, répond l'un d'eux.

– On ne veut pas de votre aide. Vous n'êtes pas d'ici et nos problèmes ne vous regardent pas.

Mais ils ne veulent rien savoir et forcent le passage jusqu'à s'approcher du maire et des gendarmes.

C'est alors qu'une première pierre est lancée contre la voiture du maire.

Ensuite, tout va très vite : un mouvement de panique s'empare des participants. Des pierres volent et une fumée blanche envahit l'air. Impossible

de garder les yeux ouverts. Je lâche la laisse de mon chien. Je ne peux plus respirer. Autour de moi, tout le monde tousse, hurle et essaye de s'échapper.

– Papa ! Maman ! Margaux ! Lou !

Je les appelle tour à tour. Je ne sais pas où ils sont. Je reçois un coup dans le ventre sans savoir qui me le donne, puis un autre sur la tête. Je tombe à terre. Des bras me soulèvent et m'emportent. On me fait asseoir dans l'herbe.

La confusion règne[22] pendant encore dix minutes. Puis, l'air devient plus respirable. Le calme revient peu a peu. Je me lève et aperçois mes parents et Margaux. Moki est à côté d'elle. Il a voulu la protéger. Je les rejoins. Heureusement, ils n'ont rien.

Le spectacle n'est pas beau à voir : les tables sont renversées et il y a des débris partout sur la route. Des dizaines de personnes, choquées, restent assises ou allongées. J'entends des sirènes d'ambulance.

Lou aussi est assise par terre. Elle pleure. Je mets mes bras autour de ses épaules.

– Tu as mal quelque part ?

– Non, ça va. Mais ils ont tout gâché. C'est foutu, ils vont construire la décharge.

---

22. La confusion règne : on ne sait pas ce qui se passe.

Chapitre 5
UNE SUPER JOURNÉE

Il est midi quand je me réveille le lendemain du rassemblement contre la décharge. Mes parents m'ont laissé dormir. Il y a un message de maman sur mon téléphone : « Papa est à La Grange. Je suis partie avec Margaux faire quelques courses.»

J'avale un petit-déjeuner et rejoins La Grange à vélo. Il n'y a personne dans l'atelier. J'entre dans la maison et j'entends des pleurs venant de l'étage. Je monte et trouve mon père dans la chambre de grand-père, assis sur son lit. Il a les deux mains sur le visage.

– Papa ? Ça ne va pas ?

– Hugo, tu es réveillé ? Remis de tes émotions ?

– Oui. Mais toi, tu pleures ?

– Désolé. Je…

Je m'assieds à côté de lui. Il tient dans ses mains une pochette de disque.

– Le tien ? Trop cool. Passe-le-moi. Ouah, le style ! T'avais les cheveux sacrément longs. On l'écoute ?

– Oh, non.

– Oh, si !

Nous descendons dans le salon. Mon père ouvre un meuble et je découvre un tourne-disque du siècle dernier !

– Le dernier du monde ?

– Ne crois pas ça, Hugo. Il existe des collectionneurs[23] pour ce genre de chose. Et de grands amateurs[24] de musique…

– … trouvent la qualité du vinyle bien meilleure que celle du MP3, tu me l'as déjà dit.

J'essaye de faire fonctionner l'appareil, mais n'y arrive pas.

– Pousse-toi. Les jeunes ne connaissent rien aux technologies de pointe !

---

23. Un collectionneur : personne qui réunit des objets de même nature.
24. Un amateur de musique : quelqu'un qui connaît bien la musique.

On entend quelques grésillements, puis une guitare électrique en solo, et le rythme accélère avec des percussions. Je ne reconnais pas du tout la voix de mon père. C'est plutôt pas mal pour l'époque. La chanson s'appelle *Je suis un rebelle*. Mon père bouge les lèvres.

– Tu connais encore les paroles ?

– Bien sûr, idiot. Le disque ne date pas de la préhistoire !

Il y a une deuxième chanson de l'autre côté du disque : *Je crie.*

– C'est cool.

– Tu essayes d'être gentil ?

– Non, je t'assure. C'est top d'avoir fait ça.

Je n'ai pas parlé aussi facilement avec mon père depuis longtemps.

– Ton grand-père a acheté ce disque, tu te rends compte ? Je suis parti fâché avec lui. Je n'ai pas donné de nouvelles pendant des années. Et lui, il a acheté mon disque. Je comprends ses réactions maintenant que je suis père. J'ai honte d'avoir agi ainsi.

– Grand-père savait pas mal de choses de notre vie.

– Comment ?

Ai-je le droit de trahir le secret de ma mère ? J'en ai trop dit. Nous remontons dans la chambre. Je sors les lettres de mon sac à dos et les lui tends.

Mon père les lit sans pouvoir s'arrêter. Il sourit, et lit plusieurs passages à haute voix.

– Hé oh, on est rentrées. Vous êtes où ? Qu'est-ce que vous faites ?

Maman et Margaux nous retrouvent dans la chambre. Maman aperçoit ses lettres dans la main de mon père et comprend tout de suite. Je vais passer un mauvais quart d'heure. Mon père se lève et prend ma mère dans ses bras.

– Merci, ma chérie. Tu as bien fait. Je suis désolé. Oh, merci, merci !

Vous vous êtes déjà sentis de trop dans une pièce ? Margaux et moi, on a l'impression de devoir nous en aller. Enfin, surtout moi. Margaux, elle, elle ne comprend rien.

– Pourquoi vous pleurez ? Papy est encore mort ?

Puis mes parents s'embrassent avec passion. Faut vraiment que je parte. Un coup de klaxon me sauve de la situation. Je regarde par la fenêtre.

– C'est Francis Berton, je vais voir ce qu'il veut. Ok ?

Mes parents s'embrassent toujours et ne répondent pas.

– Bah, c'est dégoûtant, ils s'embrassent, j'veux pas rester, dit Margaux.

Je sors de la pièce, mais mon père me rattrape.

– Merci, dit-il en me serrant dans ses bras.

– De quoi ?

– D'être toi. Je t'aime.

Ouah ! Alors là, je ne sais pas ce qui me prend, mais je sens une énorme boule dans mon ventre.

– Je t'aime aussi.

Vous avez bien lu : j'ai dit « Je t'aime » à mon père. J'y crois à peine et pourtant si, je l'aime et je lui ai dit. Quand il me lâche, je file dehors. Francis Berton est devant sa camionnette.

– Ça va ? Tu as l'air tout chamboulé[25] ?

– Je crois que cette maison nous fait des choses étranges.

– Je dois passer sur un chantier. Ça te dit de m'accompagner ?

Je n'hésite pas une seconde. On prévient mes parents et en avant !

Francis Berton aime sa région, son métier et parler. Il s'arrête souvent sur la route, et nous restons de longues minutes devant une fontaine, une vieille ferme, une statue, ou un monument aux morts. Ses explications sont passionnantes.

On s'arrête ensuite devant une vieille église. Il me présente Sakou, David et Florence. Le premier a trente-cinq ans. Il est compagnon du Tour de

---

25. Être chamboulé : ressentir une grande émotion.

France. David est apprenti et a deux ans de plus que moi.

— Moi, je suis la plus vieille du groupe, me dit Florence en m'embrassant. Mais on ne demande pas l'âge d'une femme, n'est-ce pas ?

Les trois sont sympas. Je les regarde travailler la pierre. Sakou me tend un outil :

— À toi.

— Mais je ne sais pas.

— Cela ne t'empêche pas d'essayer.

Il m'explique et je me lance. Au premier coup, j'ai peur de faire écrouler l'église ! Je me débrouille pas mal ensuite.

On fait une pause et je leur raconte mon parcours scolaire.

— Beaucoup de jeunes ont des difficultés, dit

Francis Berton. C'est juste qu'ils n'ont pas encore trouvé leur voie.

– Moi, par exemple, intervient David, j'ai l'air bien dans mes pompes[26], non ? Hé bien jusqu'à quinze ans, j'ai été très malheureux, à l'école et chez moi. Mes parents voulaient que je reprenne leur fromagerie. Je ne supporte pas l'odeur d'un camembert, tu imagines l'horreur ?

– Et comment tu as fait ?

– C'est grâce à ma prof principale en troisième. Elle nous a traînés à un salon de l'apprentissage. Je ne voulais pas y aller. Heureusement que je n'ai pas fait ma mauvaise tête ce jour-là. Une école présentait son Bac Pro Arts de la pierre. Ça a fait tilt dans ma tête[27].

– Moi, j'ai toujours eu envie d'être tailleur de pierre, dit Sakou. Mes parents voulaient que je passe le bac général avant. Je les ai écoutés et puis je suis devenu compagnon. J'ai fait le Tour de France et ai même bossé en Italie et en Allemagne.

– La passion de la pierre m'est venue plus tard, dit Florence. Il y a juste deux ans (j'avais quarante-deux ans, me chuchote-t-elle). J'ai voulu changer complètement de vie après un licenciement. J'ai passé un CAP de tailleuse de pierre. Oui, messieurs, tailleuse pas tailleur, j'y tiens ! Je ne tape plus sur un clavier d'ordinateur, mais sur la pierre…

---

26. Être bien dans ses pompes : se sentir bien.
27. Ça a fait tilt dans ma tête : j'ai compris.

– Tu vois, conclut Francis Berton, tout est possible. Mais attention, ils ont travaillé dur pour apprendre le métier et ce n'est pas fini : allez, au boulot !

Il est 19 heures quand nous sommes de retour à La Grange. Mes parents sont installés côte à côte dans deux transats. Ils se tiennent la main. Je leur raconte ma journée en détail. Je suis sur un petit nuage.

Une demi-heure plus tard, mon père se lève et dit :

– Allons nous coucher. Je me lève tôt demain.

J'ai l'impression de retomber sur terre : demain, papa vend la maison de grand-père.

Chapitre 6

LES GRANDES DÉCISIONS

– J'ai une grande nouvelle à t'annoncer : je vais devenir tailleur de pierre.

Lou ne dit rien. Je suis déçu. Elle est la première à l'apprendre.

– Cela ne te fait pas plaisir ?

– Tu veux être tailleur de pierre pour toi ou pour moi ?

– Ben… pour moi.

– Tout va bien, alors. Bravo, je suis très heureuse. Mais excuse-moi, il y a plus important que ta nouvelle idée.

Lou est de mauvaise humeur.

– Je t'ai fait quelque chose ? Tu m'en veux ?

– Vous repartez quand ?

– Mardi ou mercredi.

– Je parie que dans une semaine tu auras changé d'avis.

Lou est de très mauvaise humeur.

Nous sommes tous les deux assis dans l'herbe devant La Grange. Il est 2 heures de l'après-midi.

Margaux m'appelle toutes les trois minutes pour jouer avec elle.

Ma mère arrive avec du jus d'orange et des gâteaux.

– Vous voulez boire ? Oh, ça n'a pas l'air d'aller.

– Si, très bien. Je viens juste d'annoncer à Lou que je veux devenir tailleur de pierre et elle fait la tête.

– Tu... hé bien, c'est une sacrée nouvelle !

Maman réfléchit comment formuler sa prochaine phrase.

– C'est bien. Mais tu ne dois pas t'emballer[28]. Tu es sur le coup de l'émotion[29]. Avec le rassemblement d'hier, tes rencontres sur les chantiers de Francis Berton. Et puis, La Grange va être vendue aujourd'hui.

– Mais vous avez quoi toutes les deux ? Tout ce que je fais est nul !

---

28. T'emballer : réagir trop vite.
29. Être sous le coup de l'émotion : avoir l'esprit troublé par les événements.

– Ce n'est pas ce que j'ai dit, mon chéri. C'est une bonne idée. Mais il faut bien réfléchir. J'ai peur que dès la semaine prochaine…

– STOP !

Lou me regarde et sourit. Qu'est-ce qu'elles ont ? Cela m'est égal, ma décision est prise et je suis super heureux. À moi de les convaincre.

– Et si…

La fin de ma phrase reste en suspension.

– Et si… quoi ?

– Imaginez… Papa ne vend pas La Grange, le projet de décharge est abandonné, je suis un tailleur de pierre renommé, Lou est demandée dans le monde entier pour construire des fermes écologiques…

Lou se lève et m'imite :

– Imaginez… la paix partout sur la Terre, plus personne ne meurt de faim, n'a peur, n'a froid, tout le monde est heureux et en bonne santé. Imaginez… le monde tout rose et tout doux de Hugo Gaillard.

– Je ne te comprends plus Lou. Tu ne veux plus te battre pour ton village ?

– Tu as vu le résultat du rassemblement ? On passe pour des fous furieux. Ouvre les yeux : ton père vend La Grange aujourd'hui et demain le projet de décharge sera voté au conseil municipal. C'est fini !

Où est la Lou d'il y a deux jours ? Maman essaye de changer de sujet, mais l'ambiance[30] est lourde. Seule Margaux continue à tourner sur elle-même (et Moki avec elle), les bras grand ouverts vers le ciel.

– Imaginez… Moki vole… je vole… tout est rose…

J'ai soudain une idée.

– Tu crois qu'on peut encore arrêter papa ?

– L'arrêter ?

– Le faire changer d'avis sur la vente de La Grange ?

Maman lève les yeux au ciel. La vente doit déjà avoir eu lieu. Cela ne me décourage pas, je compose le numéro du portable de mon père. Qu'est-ce que je vais lui dire ?

– Bonjour. Merci de laisser un message après le bip.

Pas très original comme message. Je me lance :

– C'est Hugo. Il faut que tu me rappelles très vite. Il se passe un truc dingue à La Grange. Surtout, ne la vends pas. Appelle-moi !

Oh, la tête de maman et Lou !

– C'est quoi le truc dingue ?

---

30. L'ambiance : ce que chacun ressent de la situation.

44

– Je ne sais pas encore. Mais il faut lui donner envie d'appeler. Tu as le nom du notaire[31] ?

– Maître Laforge, à Lons. C'est trop loin pour y aller.

Ce n'est pas mon idée. Je cherche sur Internet les coordonnées du notaire. Je compose son numéro et mets le haut-parleur.

– Cabinet Laforge, j'écoute.

– Bonjour madame, je m'appelle Hugo Gaillard. Je cherche à joindre mon père. Il est en rendez-vous chez vous. C'est très urgent.

– Ah, justement, nous l'attendons depuis deux heures. Impossible de le joindre sur son portable. Vous ne savez pas où il est ?

– Ben non, justement…

– Dans ce cas, je ne peux pas vous aider. Mais si vous arrivez à le joindre, il faut qu'il appelle maître Laforge très vite.

Maman s'affole.

– Mon dieu, il a eu un accident !

Ma mère appelle la gendarmerie. Il n'y a pas eu d'accident sur la route entre Saint-Arbois et Lons. Elle s'inquiète quand même.

Un message fait vibrer le téléphone de maman et le mien en même temps. Maman est si nerveuse

---

31. Le notaire : personne qui s'occupe de la vente.

qu'elle n'arrive pas à l'afficher sur l'écran. Je lui montre sur mon portable. Il est écrit par papa :

Rendez-vous 15 heures devant la mairie.

Une seconde plus tard, c'est le téléphone de Lou qui vibre.

– Mon père me donne aussi rendez-vous à 15 heures devant la mairie !

Nous nous regardons sans comprendre. Que se passe-t-il ?

– Comment on va à la mairie ? Papa a la voiture et il n'y a pas d'essence dans la camionnette de grand-père.

En vélo ! Lou roule en tête et maman suit sur le vélo de grand-père, Moki et Margaux sont installés dans une petite remorque attachée à mon vélo.

Nous arrivons quelques minutes avant 15 heures devant la mairie. Une vingtaine de personnes attend déjà. Les portes s'ouvrent et les quatre représentants du projet de ferme écologique apparaissent. J'aperçois mon père derrière eux. Que fait-il là ?

François Villemard, le père de Lou, prend la parole.

– Mes amis, nous venons de nous entretenir longuement avec le maire et le conseil municipal[32]. J'ai deux très grandes nouvelles à vous annoncer. La première : le projet de la décharge est abandonné.

---

32. Le conseil municipal : les personnes qui s'occupent des affaires de la ville.

La deuxième : nous lançons la réalisation de la plus grande ferme bio de France à Saint-Arbois !

Des cris de joie éclatent. Les gens se serrent dans les bras.

– On a gagné, me dit Lou en m'embrassant.

– Bah, ils s'embrassent, dit Margaux.

– Laisse-les un peu tranquilles, lui répond maman.

Papa nous rejoint et prend Maman dans ses bras.

– Que fais-tu là ? lui demande-t-elle.

– En partant à Lons, je me suis arrêté devant chez les Villemard. J'ai vu François. Nous avons reparlé de notre enfance, de mon père et de l'avenir. J'ai laissé passer l'heure du rendez-vous chez le notaire. François m'a convaincu : je ne peux pas rester les bras croisés et laisser la terre de mes parents devenir une poubelle géante. Nous avons décidé de tenter une dernière chance auprès du maire. On a mis deux heures à le convaincre.

– Je suis fier de toi. Tu as appelé le notaire pour fixer un autre rendez-vous ?

– Je l'ai appelé, oui, mais pour annuler la vente. Je crois qu'on va rester un peu plus longtemps ici. C'est pas mal pour passer des vacances, non ?

Je ne crois pas ce que j'entends. Je dois en profiter.

– Papa, j'ai décidé de devenir tailleur de pierre.

Je m'attends à une réponse du style de celle de Lou ou de maman.

– C'est donc ça le truc dingue de La Grange ! Tu ne peux pas me faire plus plaisir, Hugo. Tu es un vrai Gaillard. Grand-père serait fier de toi !

Parfois, il ne faut pas chercher à comprendre les adultes.

Pour fêter toutes ces bonnes nouvelles, papa invite ses anciens amis d'enfance et les voisins. Nous sommes presque soixante dans le jardin de grand-père. Francis Berton, les parents de Lou et le maire de Saint-Arbois sont bien sûr venus. Chacun a apporté de quoi boire et manger.

Vous savez à quoi cela me fait penser ? La dernière image des albums d'Astérix[33]. La nuit est claire, les étoiles brillent, la lune est pleine, les tables sont joyeuses et Idéfix, oh pardon Moki, fait le fou.

Lou et moi sommes assis l'un à côté de l'autre. Je ne sais pas ce que la vie nous réservera. Mais j'ai des projets plein la tête.

---

33. Astérix et Idéfix : personnages de la bande dessinée *Astérix le Gaulois*.

Activités

UN LONG VOYAGE

1 Cochez la réponse correcte.

1. Les personnages sont :
☐ **a.** *dans un train.* ☐ **b.** *dans un avion.*
☐ **c.** *dans une voiture.*

2. Hugo est âgé de :
☐ **a.** *huit ans.* ☐ **b.** *quinze ans.* ☐ **c.** *vingt ans.*

3. La famille de Hugo part :
☐ **a.** *dans le Jura.* ☐ **b.** *en Bretagne.* ☐ **c.** *à Paris.*

4. Le grand-père de Hugo était :
☐ **a.** *militaire.* ☐ **b.** *tailleur de pierre.* ☐ **c.** *chanteur.*

5. La famille dort ce soir :
☐ **a.** *à l'hôtel.* ☐ **b.** *chez elle.* ☐ **c.** *à La Grange.*

2 Associez pour former des phrases vraies.

1. Hugo veut s'isoler
et met …

2. Margaux s'ennuie
et…

3. Le père de Hugo… •

4. La mère de Hugo… •

5. Moki veut… •

• **a.** fait de la gymnastique
pour se détendre.

• **b.** gare la voiture devant
l'hôtel.

• **c.** la capuche de son pull
sur sa tête.

• **d.** jouer et a faim.

• **e.** pose dix fois la même
question.

3 Répondez aux questions.

1. Pourquoi la famille se rend-elle dans le Jura ?

....

2. Depuis combien de temps sont-ils dans la voiture ?

....

3. Quelles études veut faire Hugo ?

....

4. À quel âge le père de Hugo est-il parti de chez lui ?

....

5. Quel est le nom de l'hôtel ?

....

Chapitre 2 **LOU**

1 Les affirmations suivantes sont-elles vraies ou fausses ? Justifiez.

	Vrai	Faux
1. La Grange est la maison d'enfance du père de Hugo.	☐	☐
2. L'atelier de Fernand est vide.	☐	☐
3. Sur une photo, le père de Hugo tient un marteau.	☐	☐
4. Lou et Hugo habitent dans la même ville.	☐	☐
5. Hugo trouve Lou stupide et sans charme.	☐	☐

Justification :

....

2 Classez les événements par ordre chronologique.

1. Hugo prend un petit-déjeuner à l'hôtel.

2. Lou et Hugo partent en vélo.

3. La famille visite l'atelier de Fernand.

4. Le père de Hugo emprunte un petit chemin.

Le bon ordre est : _ _ _ _

3 Complétez la grille.

1. C'est le lieu de travail de Fernand.

2. Lou va en préparer une avec une amie.

3. C'est la première partie de Lou que Hugo aperçoit.

4. La grande dans l'atelier couvre presque tout un mur.

5. Fernand en fait des statues, des sculptures…

6. Il permet de monter du premier au deuxième étage.

Chapitre 3

LA PIERRE

1 Cochez la signification de ces phrases dans le contexte de l'histoire.

1. Il faut se battre pour la région.
- [ ] **a.** *Il faut quitter la région.*
- [ ] **b.** *Il faut tout faire pour protéger la région.*
- [ ] **c.** *Il faut visiter la région.*

2. Occupe-toi des affaires de ton âge.
- [ ] **a.** *Joue avec ta petite sœur.*
- [ ] **b.** *Range bien les affaires dans ta chambre.*
- [ ] **c.** *Ne t'occupe pas des histoires des adultes.*

3. Il est farouchement opposé au projet.
- [ ] **a.** *Il est contre le projet.*
- [ ] **b.** *Il se fiche complètement du projet.*
- [ ] **c.** *Il est très heureux du projet.*

4. Sa remarque nous arrache un fou rire.
- [ ] **a.** *Nous rions très fort.*
- [ ] **b.** *Sa remarque nous fait mal.*
- [ ] **c.** *Nous ne comprenons pas sa remarque.*

5. Ça te plaît ?
- [ ] **a.** *Tu es prêt ?*
- [ ] **b.** *C'est fini ou pas ?*
- [ ] **c.** *Tu trouves cela bien ?*

2 Complétez les phrases puis trouvez le mot mystère à l'aide des lettres soulignées en rouge.

1. Hugo tape doucement sur le _ _ _ _ de pierre.

2. Le vieux _ _ _ _ _ _ de Fernand est une mine d'or.

3. La _ _ _ _ _ _ _ _ _ _ _ _ _ est prévue pour le lendemain.

4. La pierre est _ _ _ _ _ _ _ et résiste aux coups.

5. Il y a des _ _ _ _ _ _ _ _ de 2000 à 2015 dans le classeur.

6. Lou connaît bien l'_ _ _ _ _ _ _ _ de la famille Gaillard.

7. Margaux demande à Hugo s'il est _ _ _ _ _ _ _ _.

8. Pour travailler la pierre, il faut de nombreux _ _ _ _ _ _ _.

9. Hugo entre dans la maison par la porte de la _ _ _ _ _ _ _ _.

Mot mystère : _ _ _ _ _ _ _ _ _

3 Associez chaque phrase avec le mot correct.

1. Hugo ne veut pas
en manger une autre. ●

                                    ● **a.** la voiture
2. Lou le pose sur le
bas-côté de la route. ●   ● **b.** une tartine

3. Hugo veut y brûler   ● **c.** son sac à dos
les lettres.   ●
                                    ● **d.** son vélo
4. Le père de Hugo fait
un signe vers celle   ● **e.** la forêt
des acheteurs.   ●

5. Hugo en sort le carnet
de son grand-père. ●

Chapitre 4   LE RASSEMBLEMENT

1 Cochez la réponse correcte.

1. Francis Berton vient à La Grange pour …

☐ **a.** acheter la maison.   ☐ **b.** visiter l'atelier.
☐ **c.** manifester.

2. Au rassemblement, les tables sont couvertes de …

☐ **a.** poubelles.   ☐ **b.** produits locaux.
☐ **c.** poules et cochons.

3. Le maire et les hommes en costumes sortent de …

☐ **a.** *quatre voitures noires.* ☐ **b.** *la forêt.*
☐ **c.** *deux hélicoptères.*

4. François Villemard demande au maire … le projet de déchetterie.

☐ **a.** *de réaliser* ☐ **b.** *d'abandonner*
☐ **c.** *d'accélérer*

5. Lorsque le calme revient, Hugo entend les … des ambulances.

☐ **a.** *visages* ☐ **b.** *lumières* ☐ **c.** *sirènes*

2 Trouvez les mots cachés dans la grille.

1. Lou est contente car la moitié du ……… est là.

2. On se croit à une fête, l'……… est bonne.

3. Des ……… présentent le projet d'une ferme écologique.

4. Des ……… accueillent le maire.

5. Quand le calme revient, le ……… n'est pas beau à voir.

R	O	S	P	E	C	T	A	C	L	E
V	I	L	L	A	G	E	U	V	T	X
Y	L	I	A	M	B	I	A	N	C	E
S	S	I	F	F	L	E	T	S	R	T
A	U	P	A	N	N	E	A	U	X	X

3 Entourez l'intrus.

1. Rassemblement – statue – stand – banderole.

2. Carnet – petit-déjeuner – conseils – Fernand.

3. Ferme bio – poubelles – fruits – animaux.

4. Panique – disque – pierre – fumée blanche.

54

Chapitre 5

UNE SUPER JOURNÉE

1 Les affirmations suivantes sont-elles vraies ou fausses ? Justifiez.

	Vrai	Faux
1. Hugo et son père écoutent le disque d'un chanteur très connu.	☐	☐
2. Francis Berton propose à Hugo de l'accompagner sur un chantier.	☐	☐
3. Sakou, David et Florence sont les enfants de Francis Berton.	☐	☐
4. Sakou ne veut pas laisser Hugo essayer de travailler la pierre.	☐	☐
5. Hugo est heureux de la journée.	☐	☐

Justification : ....

2 Retrouvez quel personnage dit chacune des phrases suivantes et à qui il s'adresse.

1. Mais toi, tu pleures ?

Qui : .... À qui : ....

2. Pousse-toi !

Qui : .... À qui : ....

3. Papy est encore mort ?

Qui : .... À qui : ....

4. Ça te dit de m'accompagner ?

Qui : .... À qui : ....

5. À toi.

Qui : .... À qui : ....

3 Complétez le texte avec les mots proposés.

paroles siècle voix meuble guitare cool s'appelle top

Mon père ouvre un .... Le tourne-disque
date du .... dernier ! On entend une
.... électrique en solo. Je ne reconnais
pas la .... de mon père. La chanson est
.... Elle .... *Je suis
un rebelle*. Mon père connaît les .... par
cœur. C'est .... d'avoir fait ça.

**4 Que va-t-il se passer dans le dernier chapitre ?
Imaginez trois fins possibles pour cette histoire.**

Exemple : *La maison est vendue et la déchetterie est
construite, …*

....
....
....

Chapitre 6 # LES DÉCISIONS

**1 Mettez les mots dans le bon ordre pour former
des phrases correctes.**

1. devant sont Hugo et l'herbe assis dans maison Lou la

....

2. pierre veut Hugo tailleur de devenir

....

3. mairie heures devant ont Ils la à 15 rendez-vous

....

4. France être La ferme bio construite grande plus de va

....

5. dans de Hugo a la tête plein projets

....

2 Les affirmations sont-elles vraies ou fausses ? Justifiez.

	Vrai	Faux
1. Lou est de mauvaise humeur après la manifestation.	☐	☐
2. Hugo parle avec son père au téléphone.	☐	☐
3. Moki et Margaux pédalent sur le même vélo.	☐	☐
4. Le maire décide de construire la décharge.	☐	☐
5. Le père de Hugo invite beaucoup de monde à La Grange.	☐	☐

Justification : ....

3 Mettez les mots et expressions entre parenthèses à la bonne place pour former un dialogue correct.

Hugo : Je veux devenir (*rose*). → ....

Lou : Dans une semaine tu auras (*le résultat*). → ....

Hugo : Tu es de (*rêves*) ? → ....

Lou : Non. Mais tu as vu (*tailleur de pierre*) du rassemblement ?
→ ....

Hugo : Imaginez, papa ne vend pas La Grange, le projet de décharge est (*arrêter*). → ....

Lou : Tu (*abandonné*). Le monde n'est pas tout (*mauvaise humeur*) ! → ....

Hugo : On peut encore (*changé d'avis*) mon père.
→ ....

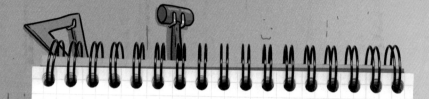

Activités sur l'histoire entière

1 Cochez la ou les affirmations correctes pour chaque personnage :

1. Hugo
- ☐ **a.** *Il veut devenir chanteur.*
- ☐ **b.** *Il part en vacances avec ses parents en Bretagne.*
- ☐ **c.** *Son chien s'appelle Moki.*
- ☐ **d.** *À la fin, il a plein de projets pour l'avenir.*

2. Lou
- ☐ **a.** *Elle est élève dans un lycée agricole.*
- ☐ **b.** *Elle connaissait bien Fernand Gaillard.*
- ☐ **c.** *Son père est maire de Saint-Arbois.*
- ☐ **d.** *Elle est passionnée par la ferme bio.*

3. Fernand Gaillard
- ☐ **a.** *Il a acheté le disque de son fils.*
- ☐ **b.** *Son père était tailleur de pierre.*
- ☐ **c.** *Il était fier de son carnet.*
- ☐ **d.** *Sa maison s'appelle Le Garage.*

4. Le père de Hugo
- ☐ **a.** *Il veut tout d'abord vendre la maison de son enfance.*
- ☐ **b.** *Sa fille s'appelle Moki.*
- ☐ **c.** *Il remercie sa femme d'avoir écrit des lettres.*
- ☐ **d.** *À la fin, il est heureux de la décision de Hugo.*

5. Margaux
- ☐ **a.** *Elle trouve trop long le voyage en voiture.*
- ☐ **b.** *Elle a cinq ans.*
- ☐ **c.** *Elle veut garder des petits morceaux de pierre.*
- ☐ **d.** *Elle adore compter les voitures rouges.*

2 Répondez aux questions.

1. Pourquoi le grand-père et le père de Hugo étaient-ils fâchés?

....

2. Qu'est-ce qui différencie Lou et Hugo au début de l'histoire ?

....

3. Quels sont les deux projets concurrents à Saint-Arbois ?

....

4. À votre avis, Hugo est-il finalement content de ses vacances dans le Jura ? Pourquoi ?

....

3 Trouvez qui prononce chaque phrase. Expliquez dans quelles circonstances.

1. Je suis crevé. On ira à la Grange demain.

Qui : .... Quand : ....

2. C'est magnifique. C'est dommage.

Qui : .... Quand : ....

3. T'es amoureux ?

Qui : .... Quand : ....

4. C'est foutu, ils vont construire la décharge.

Qui : .... Quand : ....

5. C'est top d'avoir fait ça.

Qui : .... Quand : ....

4 Résumez en quatre phrases cette histoire.

....

....

....

....

Culture

Les métiers d'art

Hugo a trouvé sa voie : il veut devenir *tailleur de pierre*. Cette profession fait partie des *métiers d'art*. Il y en a plus de 200 sur la liste du *Journal officiel* de la République française[1].

C'est quoi un métier d'art ?

Il s'agit d'une activité manuelle de fabrication, transformation, ou restauration[2]. Elle demande de la technique et des qualités artistiques.

Les domaines sont très variés : le travail de la matière (bois, cuir, pierre, métal, verre…), la mode, l'architecture, la bijouterie, le spectacle…

Ainsi, le *costumier* crée des costumes pour le cinéma et le théâtre. Le *céramiste* crée des objets à partir de terre cuite, porcelaine…

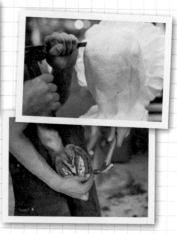

---

1. Le *Journal officiel (JO)* : il regroupe tous les textes officiels de la France (comme les lois).
2. La restauration : la réparation d'objets, de bâtiments anciens ou d'œuvres d'art.

Beaucoup de ces métiers existent depuis très longtemps. Les gestes et les techniques (le savoir-faire) étaient déjà les mêmes il y a plusieurs siècles. Le *charron* fabrique des roues en bois. Le *maréchal ferrant* installe les fers sur les pieds des chevaux. Le *cirier* fait des bougies avec de la cire d'abeille.

Quelles études ?

Les formations aux métiers d'art sont très nombreuses. Certains jeunes s'engagent après la classe de troisième, à la fin du collège (vers 14-15 ans). Ils peuvent ainsi obtenir un diplôme dans la spécialité de leur choix : CAP (certificat d'aptitude professionnelle, deux ans d'études), BEP (brevet d'études professionnelles, deux ans d'études), Bac-Pro (baccalauréat professionnel, trois ans d'études)…

Les adultes aussi peuvent apprendre un métier d'art ; parfois dans le cadre d'une reconversion professionnelle (c'est-à-dire dans un domaine totalement nouveau pour eux).

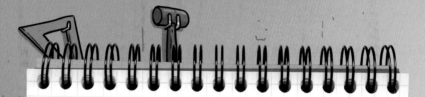

Deux filières particulières attirent de nombreux candidats, jeunes ou moins jeunes : l'apprentissage et le compagnonnage.

L'apprentissage

L'apprentissage est une formation en « alternance ». Le jeune (de 16 à 25 ans) passe, par exemple, deux semaines en cours dans un centre de formation, puis deux semaines dans une entreprise. Il prépare ainsi un diplôme tout en travaillant pour gagner sa vie[3] pendant ses études.

Le compagnonnage

Le compagnonnage existait déja au temps de la construction des cathédrales, au XIe siècle. Après une formation en alternance et avec un diplôme en poche, l'apprenti fait un Tour de France. Il travaille pendant environ cinq ans chez différents compagnons. Il vit une grande aventure et apprend des nouvelles techniques de travail. Il réalise une maquette (un chef-d'œuvre) pour devenir compagnon du Tour de France.
Il pourra transmettre à son tour son savoir.

Les affirmations sont-elles vraies ou fausses ? Justifiez.

	Vrai	Faux
1. Il est impossible de trouver une liste des métiers d'art.	☐	☐
2. Il existe plusieurs diplômes pour ces métiers.	☐	☐
3. Un apprenti gagne de l'argent pendant ses études.	☐	☐
4. Il est impossible de devenir tailleur de pierre si on a plus de 25 ans.	☐	☐
5. Un Tour de France dure quelques semaines.	☐	☐

---

3. Gagner sa vie : gagner l'argent permettant de vivre.

Corrigés

Chapitre 1

Activité 1 : 1. c – **2.** b – **3.** a – **4.** b – **5.** a. **Activité 2 : 1.** c – **2.** e – **3.** b – **4.** a – **5.** d. **Activité 3 : 1.** Le père de Hugo doit vendre la maison de Fernand Gaillard, le grand-père de Hugo. – **2.** Huit heures. – **3.** Il ne sait pas. – **4**. À dix-huit ans. – **5**. Les trois lacs.

Chapitre 2

Activité 1 : 1. V (c'est Hugo qui le dit). – **2.** F (il y a encore des blocs de pierre, des bustes, des sculptures). – **3.** V (elle est accrochée au mur). – **4.** F (Lou habite dans le Jura et Hugo à Brest). – **5.** F (elle l'impressionne et il tombe sous son charme). **Activité 2 : 1** – **4** – **3** – **2**. **Activité 3 : 1.** atelier – **2.** banderole – **3.** visage – **4.** fenêtre – **5.** pierre – **6.** escalier.

Chapitre 3

Activité 1 : 1. b – **2.** c – **3.** a – **4.** a – **5.** c. **Activité 2 : 1.** bloc – **2.** carnet – **3.** manifestation – **4.** solide – **5.** lettres – **6.** histoire – **7.** amoureux – **8.** outils – **9.** cuisine. **Mot mystère :** banderole. **Activité 3 : 1.** b – **2.** d – **3.** e – **4.** a – **5.** c.

Chapitre 4

Activité 1 : 1. b – **2.** b – **3.** a – **4.** b – **5.** c. **Activité 2 : 1.** village – **2.** ambiance – **3.** panneaux – **4.** sifflets – **5.** spectacle. **Activité 3 : 1.** statue – **2.** petit-déjeuner – **3.** poubelles – **4.** disque.

Chapitre 5

Activité 1 : 1. F – **2.** V – **3.** F – **4.** F – **5.** V. **Activité 2 : 1. Qui :** Hugo ; **À qui :** son père – **2. Qui :** le père d'Hugo ; **À qui :** Hugo – **3. Qui :** Margaux ; **À qui :** sa famille – **4. Qui :** Francis Berton ; **À qui :** Hugo – **5. Qui :** Sakou ; **À qui :** Hugo – **6. Qui :** le père d'Hugo ; **À qui :** Hugo et sa mère. **Activité 3 :** meuble – siècle – guitare – voix – cool – s'appelle – paroles – top. **Activité 4 :** Production libre.

Chapitre 6

Activité 1 : 1. Hugo et Lou sont assis dans l'herbe devant la maison. – **2.** Hugo veut devenir tailleur de pierre. – **3.** Ils ont

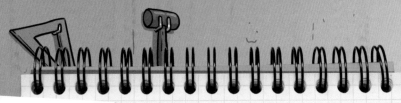

rendez-vous devant la mairie à 15 heures. – **4.** La plus grande ferme bio de France va être construite. – **5.** Hugo a plein de projets dans la tête.

Activité 2 : 1. V (elle pense que la déchetterie va être construite). – **2.** F (il n'arrive pas à le joindre). – **3.** F (Moki ne sait pas faire de vélo !). – **4.** F (il abandonne le projet). – **5.** V (il y a une grande fête).

Activité 3 : Hugo : Je veux devenir *tailleur de pierre*.

Lou : Dans une semaine tu auras *changé d'avis*.

Hugo : Tu es de *mauvaise humeur* ?

Lou : Non. Mais tu as vu *le résultat* du rassemblement ?

Hugo : Imaginez … Papa ne vend pas La Grange, le projet de décharge est *abandonné*.

Lou : Tu *rêves*. Le monde n'est pas tout *rose* !

Hugo : On peut encore *arrêter* mon père.

Activités sur l'histoire entière

Activité 1 : 1. c – **2.** a, b, d – **3.** a, b, c – **4.** a, c, d – **5.** a, c, d.

Activité 2 : Production libre. **Activité 3 : 1.** Car le père de Hugo ne voulait pas devenir tailleur de pierre. – **2.** Lou sait exactement ce qu'elle veut. Hugo n'a aucune idée. – **3.** Une déchetterie, une ferme bio. – **4.** Oui. Car il a rencontré une amie et a trouvé ce qu'il veut apprendre comme métier. **Activité 4 : 1. Qui :** le père d'Hugo ; **Quand :** à la fin du voyage en voiture. – **2. Qui :** la mère d'Hugo ; **Quand :** en visitant la grange. – **3. Qui :** Margaux ; **Quand :** quand Lou vient chercher Hugo pour préparer le rassemblement. – **4. Qui :** Lou ; **Quand :** à la fin du rassemblement. – **5. Qui :** Hugo ; **Quand :** en écoutant le disque avec son père. **Activité 5 :** Production libre.

Culture

1. F (elle est parue dans le *JO*). – **2.** V (CAP, BEP, Bac…). – **3.** V (il est à la fois étudiant et salarié).– **4.** F (on peut faire une reconversion professionnelle à tout âge). – **5.** F (il dure environ 5 ans).